Publicaciones del Quinto Centenario
1504 - 2004

Capilla Real de Granada

Lonja
Templo
y Museo

Guía para la Visita

Manuel Reyes Ruiz

El autor agradece a Don Mariano Ortega Gámez
su ayuda y sus sugerencias.

© Cabildo de la Capilla Real
© Manuel Reyes Ruiz

Edita: Capilla Real de Granada

I.S.B.N. 84-609-0503-9
Depósito Legal: GR/ 440 - 2004

Fotografías: Archivo fotográfico de la Capilla Real
Imprime: Imp. Editorial Ave María. Granada

La Capilla Real de Granada.

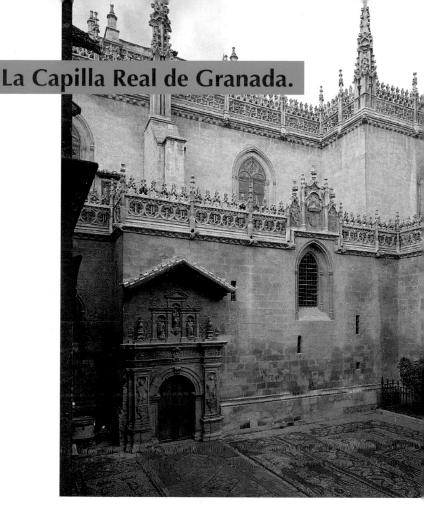

Presentación

La Capilla Real de Granada alberga los restos mortales de los Reyes Católicos, Fernando de Aragón e Isabel de Castilla. Estos monarcas unieron Granada a la corona de Castilla, hicieron la unidad de los pueblos de España bajo una única monarquía, enlazaron España con Portugal, con Inglaterra y con Austria mediante el matrimonio de sus hijos y, con el descubrimiento de América, pusieron el fundamento de la presencia universal de la cultura hispana.

El origen de la Capilla Real

La ciudad de Granada significó mucho para los Reyes Católicos: ellos la vieron como el culmen de su reinado. En efecto, aquí en el año 1492 con la toma de la ciudad y su reino culminaban la empresa medieval de la reconquista y aquí con el impulso a la empresa de Colón se abría la historia a un Nuevo Mundo. Por eso solemos poner esta fecha como el punto de giro de la historia hacia una nueva edad, la Edad Moderna. Aquí, además, ensayaron nuevas fórmulas de gobierno en lo judicial, en lo municipal, en lo militar, en lo eclesiástico, que serían las bases del modo de proceder en los amplísimos territorios que se verán llamados a administrar desde la lejanía. Por todo ello, Granada es el centro de su fecundo reinado.

Quisieron, pues, que esta tierra acogiera su enterramiento y, con él, su reposo definitivo. Para serlo, nació esta Capilla por voluntad de los monarcas expresada en una Real Cédula fechada en Medina del Campo, 13 de septiembre de 1504, que ordena la construcción y la dotación de la Capilla en personas y medios económicos y jurídicos. Un mes después la Reina hacía su testamento el día 12 de octubre y al mes siguiente moría en la misma ciudad castellana el 26 de noviembre.

Junto a los sepulcros de los Reyes Católicos, aquí están los de sus herederos, Felipe el Hermoso y Juana de Castilla (La Loca), padres del emperador Carlos V. También están los restos del príncipe Miguel, heredero frustrado de España y de Portugal, muerto en 1500 en Granada. Durante la mayor parte del XVI esta Capilla fue el enterramiento de la corona, hasta que

Felipe II construyó El Escorial y trasladó allí los restos de sus hermanos, los de su primera esposa y los de su madre, la Emperatriz Isabel que reposaron aquí desde 1539 a 1574.

Breve historia de esta Institución

Nacida en 1504, el **siglo XVI** es el tiempo de plenitud de la Capilla de Granada. Nace con la muerte de la Reina Isabel y se construye en vida del rey Fernando. Son los años 1504 a 1517. Surge un templo medieval, gótico, sobrio, acorde con el espíritu de la fundadora que quiso ser sepultada "vestida en el hábito del bienaventurado pobre de Jesucristo San Francisco", según dispone en su testamento. A partir de 1518 interviene el Emperador Carlos que trasforma el templo mediante la ornamentación renacentista y engrandece la Institución con más personas y medios. Nace la idea del enterramiento granadino de la dinastía. Es la época de mayor florecimiento. Después de mediado el siglo, Felipe II construye el monasterio de El Escorial y pone allí la sepultura de sus padres: detiene así el proyecto de la Capilla Real.

La Capilla Real y la Catedral de Granada

La Capilla forma parte del grandioso conjunto urbanístico que supuso el paso decisivo en la nueva creación de la Granada cristiana. Aunque siempre fueron instituciones distintas, la Capilla está adosada a la Catedral y unida a la iglesia del Sagrario. Esto no ha sucedido por casualidad:

Primeramente mandamos que en la iglesia catedral de Nuestra Señora Santa María de la O, de la ciudad de Granada, se haga una honrada capilla a la mano derecha de la capilla mayor de la dicha iglesia, en la cual sean, cuando la voluntad de Nuestro Señor fuere, nuestros cuerpos sepultados, la cual dicha capilla se ha de llamar de los Reyes y será la vocación de San Juan Bautista y de San Juan Evangelista... ha de estar en la dicha nuestra capilla el Sacramento de la iglesia mayor delante del cual han de arder perpetuamente para siempre y a más de día y de noche un cirio de cera de peso de seis libras y dos lámparas de aceite... (Real Cédula de creación de la Capilla)

Aunque la Catedral se construyó bastante después que la Capilla, la ubicación señalada por los Fundadores es la actual, como puede verse en el plano adjunto.

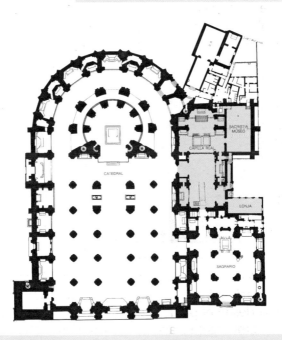

Planta de la Catedral, Capilla Real, Sacristía-Museo, Lonja, Sagrario y otros edifícios anejos, según diseño de Gómez-Moreno (*El Libro de la Capilla Real*, número 32).

En el **siglo XVII** entra el barroco en la Capilla con los altares-relicarios del crucero. Así se inicia un camino que ya en el **XVIII** se acentúa con la instalación del actual retablo de la Santa Cruz. Son tiempos de decadencia y dificultades económicas. Hay un breve resurgir a mediados del XVIII con la intervención de Fernando VI que determinó "restablecer en lo posible las decadencias de mi Real Capilla de Granada, y sus bienes dotables, y que en ella se perpetúe más decorosa la memoria de los Señores Reyes Católicos, sus gloriosos fundadores". Después se produce una larga crisis que ya en los finales del **siglo XIX** y durante el **XX** encuentra una salida, pero ya desde concepciones nuevas. Nace el interés por la investigación histórica y artística, aparecen las primeras publicaciones sobre la Capilla y su patrimonio, comienza el turismo cultural, se divulga la existencia en ella de una gran riqueza artística. A todo ello se añade una nueva estima del simbolismo espiritual y significado histórico de sus Fundadores y de la Institución misma.

Visión románica (s. XIX)

Hoy la Capilla Real es parte fundamental de la imagen de Granada y así la descubren y valoran sus muchos visitantes. Unos sólo desde el plano artístico, otros desde el histórico. Otros, sin embargo, se acercan a ella como a un santuario, el símbolo de unos valores y el resumen de una historia: así la ven, sobre todo, los que aman la cultura hispana y su significado en el mundo.

Los valores de la Capilla

Resulta muy interesante observar el espíritu con que los visitantes realizan su visita y los aspectos en que ponen su atención. Se encuentra una gran variedad porque cada uno descubre un valor distinto en este lugar.

Muchos gozan con el gran **valor artístico** del monumento, por la conjunción de arquitectura, escultura, pinturas y otras artes menores, de los estilos gótico, renacentista y barroco, con obras de gran significado en todos ellos. Descubren algo que quizá no esperaban: la abundancia de obras de primera fila en pintura y escultura.

Otros se detienen en el **valor histórico**: sienten la emoción de encontrarse en un ámbito que es símbolo de un momento privilegiado de la historia. Se cierra el medievo y se abre la puerta de la edad moderna. España nace de la unidad de los diversos reinos peninsulares bajo la monarquía única y se empeña en tareas universales con el descubrimiento del Nuevo Mundo y sus compromisos en Europa. Muchos europeos encuentran aquí pistas claras y ricas del intercambio de sus pueblos con la España del Siglo de Oro. Sobre todo, muchos americanos se acercan aquí como a su cuna y viven aquí una profunda experiencia personal. Este es un rico valor humano.

En una detenida visita a la ciudad de Granada, muchos tienen ocasión de descubrir las distintas dimensiones de esta ciudad. Se admiran de la belleza de la Alhambra y del paisaje. Pero no se quedan sólo en eso. Aquí imaginan cómo en pocos años nació la Granada cristiana que urbanística y artísticamente quedó materializada en un riquísimo patrimonio que hay que conocer para descubrir Granada. Llamémosle a este aspecto **valor urbanístico**.

La Capilla tiene sobre todo un expresivo **valor religioso**. Es un templo funerario cristiano. Nació de la fe y de la esperanza en la vida eterna de sus fundadores. Sus riquezas artísticas, todas ellas, son religiosas y expresión de los diversos misterios cristianos. Sólo desde la fe o, al menos, desde un conocimiento de la cultura cristiana, pueden ser entendidos sus mensajes. Especial significado religioso da a este lugar la personalidad religiosa de la Reina Isabel, mujer de fe profunda, reformadora de la Iglesia y promotora de la evangelización de América.

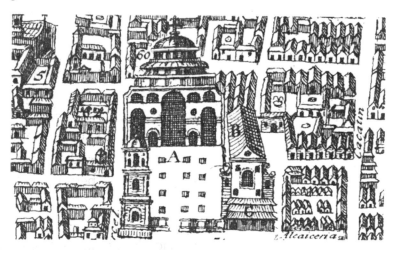

La Capilla Real (B) junto a la Catedral en construcción (A) y la antigua iglesia de Santa María de la O, anterior mezquita (C). Detalle del plano de Ambrosio de Vico (ca. 1590)

Los visitantes hacen un recorrido por los tres ámbitos que componen el conjunto del monumento. Esos espacios son:

**Lonja,
Capilla
Sacristía y
museo**.

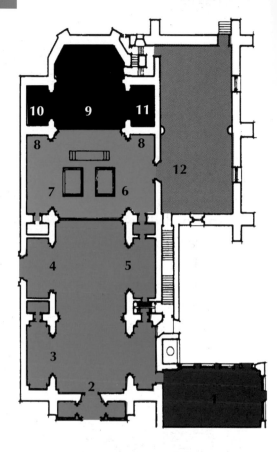

Lonja

El Templo
- La nave
- El crucero
- El altar mayor

Sacristía-Museo

1. Lonja
2. Puerta del Sagrario
3. Capilla de San Ildefonso
4. Puerta a la Catedral
5. Capilla de la Santa Cruz
6. Sepulcro de los Reyes Católicos
7. Sepulcro de D. Felipe y D.ª Juana
8. Altares Relicarios
9. Altar mayor
10. Capilla de San Miguel
11. Capilla de Santa Apolonia
12. Sacristía - Museo

La Lonja

Comienza la visita turística por **la Lonja**. Este edificio civil fue construido por el Ayuntamiento de la ciudad en 1518, poco después que la Capilla, como espacio dedicado a banca y comercio. Las lonjas, frecuentes en el Levante español, son edificios abiertos. Esta Lonja funcionó como tal hasta el siglo XIX en que pasó a manos privadas con la

Interior de la Lonja

desamortización. La Capilla Real se hizo de ella mediante compra a finales del siglo XIX con la intención de dedicarla a museo religioso. Hoy sirve de entrada a los turistas que visitan la Capilla.

Retrato de la Reina Isabel

11

La Lonja es de planta rectangular. Dos de sus lados lindan con la Iglesia del Sagrario y la Capilla. Los otros dos están formados por cuatro arcos

Rendición de Granada

de medio punto el lado mayor y dos el menor. Está cubierta con un bello techo de artesones octogonales. Está decorada con la *Rendición de Granada*, copia de la obra de Francisco Pradilla, pintada en el siglo XIX y conservada en el palacio del Senado de Madrid.

A ambos lados cuelgan los *retratos* de los monarcas Fundadores. Son obras del XVII que fueron donadas a la Capilla por el capellán José de Mena Medrano, hermano o, más probablemente, hijo del gran escultor Pedro de Mena.

En dos grandes vitrinas se muestran en exposiciones temporales objetos varios del patrimonio de la Capilla.

Desde el interior son bellas las vistas de las cresterías de la Capilla y de la Sacristía, así como de la antigua Madraza con su fachada barroca.

Sobre esta gran sala de la Lonja hay una planta alta de las mismas dimensiones que actualmente está dedicada a sala capitular y archivo-biblioteca de la Institución.

El exterior de la Lonja nos muestra en la parte baja los seis arcos y entre ellos se repite el escudo de la ciudad. Uno de los arcos cobija la entrada, obra plateresca de 1521. El cuerpo alto es similar al inferior, pero sus arcos son escarzanos y tienen antepechos calados con los emblemas de los Reyes Católicos y del Emperador Carlos.

Exterior de la Lonja

El Templo

Bóveda del Sotocoro

Desde la Lonja una puerta conduce a **la Capilla**. Una escalera de acceso nos sitúa junto a la entrada habitual del templo. Este espacio corresponde a una posible capilla bajo el coro y está decorado con tres bellas obras del barroco granadino: el *Cristo de Humildad*

o *Cristo coronado de espinas* de Juan de Sevilla, una expresiva *Piedad* barroca y un lienzo anónimo de *Cristo en la Cruz*.

A los pies de la nave una puerta gótica da acceso a la Iglesia del Sagrario. Su arco trilobulado está sostenido por unas jambas decoradas con esculturas en piedra de los apóstoles *Pedro* y *Pablo*. En los inicios de la nave cuelgan dos obras anónimas.

Cristo de Humildad

Un cuadro de *San Lázaro* del XVI con el escudo de Hernán Pérez del Pulgar y alusiones a su gesta, cuando llegó en la noche del 18 de diciembre de 1490 a la puerta de la mezquita situada en este lugar. Frente al San Lázaro, un *Ecce-Homo*.

Desde el fondo de la nave se contempla todo el templo. Estamos ante un edificio gótico, muy sencillo. Sobre el espectador, el coro sostenido por una bella bóveda muy rebajada. La nave está cubierta de bóvedas góticas sostenidas por pilares y arcos ojivales y adornada en sus muros con motivos heráldicos compuestos por escudos de la monarquía de los Reyes Católicos y por el yugo y las flechas, símbolos de la unidad de sus reinos. Está rodeada por una inscripción en letras góticas doradas sobre fondo azul. El texto de esta inscripción recuerda quiénes fueron los fundadores de la Ca-

Vista general desde los pies

pilla y cuáles eran sus títulos. Comienza por la derecha diciendo que *Esta capilla mandaron edificar los muy católicos don Fernando y doña Isabel rrey y rreyna de las españas, de nápoles, sicilia, jerusalem, estos conquistaron este reyno de Granada...* Termina afirmando que *acabóse esta obra año de mill y quinientos y diez y siete años.* Un año antes había muerto don Fernando que impulsó la construcción después que doña Isabel muriera en 1504. Dirigió la construcción el maestro Enrique Egas.

Estamos en un templo funerario, destinado a dar sepultura a unos creyentes que murieron con la esperanza de la vida eterna y de la resurrección. Los templos nos introducen en el mundo de la trascendencia, en el mundo donde habita Dios. Entrar en el templo es pasar a un ámbito donde todo nos habla de El. Vamos a contemplar una variada expresión de la fe cristiana. En especial se nos muestra el valor de la muerte de Cristo, la presencia de la Virgen María en la obra de la Redención de los hombres y el sentido cristiano de la muerte.

En la nave del templo se abren dos capillas: a la izquierda y bajo el coro, la de San Ildefonso; a la derecha, la de la Santa Cruz. Frente a ellas, los espacios de dos posibles capillas destinados a dos puertas: a la derecha, la puerta de acceso desde la calle Oficios y a la izquierda el acceso desde la Catedral.

La capilla de San Ildefonso

En el lado izquierdo está la capilla de San Ildefonso donde se conservan pinturas, relieves, esculturas y orfebrería religiosa de interés. La capilla esta cerrada por una reja que parece ser una adaptación de otra procedente de otro lugar, posiblemente de San Francisco de la Alhambra, primitivo enterramiento de los Reyes durante la construcción de la Capilla Real. En ella resalta la decoración plateresca y el escudo central con el águila bicéfala, propia del Emperador Carlos.

Exaltación de la Santa Cruz

Dentro de la Capilla encontramos un sencillo retablo plateresco que contiene dos tablas con la *Sagrada Familia y San Juanito* y la *Anunciación*; son obras anónimas castellanas del XVI. Este retablo procede del monasterio de Jerónimas de Toledo.

A ambos lados de este retablo hay dos relieves renacentistas de los comienzos de la escuela granadina. Son obras de Baltasar de Arce y representan la *Creación de Eva* y la *Exaltación de la Santa Cruz*. Hay que fechar-

Creación de Eva

Ecce Homo

las en los comienzos del último tercio del siglo XVI.

Admiramos también un bellísimo *Ecce Homo* de Bernardo de Mora.

Una vitrina contiene diversos vasos sagrados, todos ellos posteriores a la fundación de la Capilla.

Sobresale una *custodia rococó* de finales del siglo XVIII, enriquecida con diamantes y esmeraldas que en su base presenta la escena de la Santa Cena: es donación del capellán mayor don Eugenio Peñaranda.

Sobre esta vitrina, un lienzo anónimo de la *Virgen de los Dolores* y frente a él, un lienzo anónimo del *Calvario*: Cristo en la Cruz con la Virgen, san Juan y María Magdalena. Es copia del XVII de un original flamenco.

Puerta de la Catedral

A esta capilla le sigue una puerta que comunica con la Catedral. La decoración de este espacio trata de devolverle el sentido original de capilla lateral. Tres esculturas y dos pinturas forman el conjunto. Todo está presidido por el *Crucificado*. Se muestra también la magnífica escultura de *San Juan de Capistrano*, obra de José de Mora (XVII), que procede de la Iglesia granadina de San Miguel.

Juan de Capistrano es un santo franciscano del siglo XV. Nació en Italia y murió en Croacia. Dedicado a la política en medio de las luchas italianas medievales, fue hecho prisionero de los Malatesta. En la prisión tuvo una crisis espiritual que cambió su vida. Se hizo franciscano y fue una figura muy importante de la Iglesia de Europa en su tiempo. Predicador popular por diversos países y comprometido personalmente en la defensa de Europa, animó y participó en la defensa de Hungría y de Belgrado frente al avance de los turcos que se habían apoderado de Constantinopla. De la defensa decisiva de Belgrado el 21

San Juan de Capistrano

de julio de 1456 viene la cos-
tumbre de rezar el Ángelus a
mediodía, ya que el Papa había ordenado que a esa hora
tocasen todas las campanas de
Europa para que los fieles im-
plorasen la protección de Dios
en aquella situación decisiva.

Frente a San Juan hay una magnífica talla de la *Santa Parentela*: Jesús, María y José, con los padres de la Virgen, Joaquín
y Ana. Es obra de Bernabé de Gaviria, escultor granadino de
finales del XVI y comienzos del XVII. La obra formó parte del
antiguo retablo de la Iglesia de Santa Ana.

Santa Parentela

Completan el conjunto un buen lienzo de la *Coronación de
espinas*, y otro similar que representa el *Abrazo entre un rey
cristiano y otro musulmán*, cuya identificación no es segura.
Los dos lienzos son obras probables del granadino Juan de
Sevilla, discípulo de Alonso Cano (siglo XVII).

Capilla de la Santa Cruz

En el lado derecho está la capilla de la Santa Cruz. Cierra esta capilla una reja renacentista, de autor desconocido, dedicada también a la Santa Cruz. En la calle central lleva el escudo imperial con águila bicéfala y en el ático la escena de la *Invención de la Santa Cruz* por Santa Elena. Situada fren-

Detalle de la Reja de la Santa Cruz

te a la puerta principal del templo que se abre hoy a la Catedral, esta capilla es lo más significativo del conjunto, después naturalmente de la riqueza del altar mayor y del crucero, como veremos.

Santa Elena es la madre del emperador romano Constantino. De origen humilde, fue esposa del César Constancio Cloro que se divorció de ella. Cuando su hijo Constantino consiguió la dignidad imperial, rehabilitó a su madre, ya cristiana, dándole el título de "augusta". Santa Elena, ya muy anciana, viajó a Tierra Santa para venerar los lugares en que vivió y murió Cristo. En Jerusalén encontró la cruz en que murió Cristo, hecho al que se refiere el remate de la reja que contemplamos. Santa Elena murió en 328.

En esta capilla estuvo originariamente el magnífico retablo renacentista de la Pasión que veremos en la Sacristía. Fue trasladado a la capilla de San Ildefonso en el siglo XVIII para ceder su lugar al actual retablo barroco, en el que se acomodaron la mayor parte de las pinturas que contenía el retablo primitivo. El actual es obra de Blas Antonio Moreno y sobresale por su riqueza ornamental, su movimiento y espectacularidad. Hoy no contemplamos su estado original ya que las tablas que contuvo fueron retiradas de nuevo en 1945 para devolverlas a su retablo original que veremos en la sacristía-museo. Al retirarlas, en los espacios resultantes se situaron diversos lienzos, entre ellos una *Inmaculada*, copia de un original de Alonso Cano, obra probable de Pedro Atanasio Bocanegra, y un *San Juan* y un *San José*.

Retablo de la Santa Cruz

Dolorosa

Más que estas pinturas sobresalen en el conjunto los dos magníficos bustos del *Ecce Homo* y de la *Dolorosa* que son obras características del arte de José de Mora.

La capilla de la Santa Cruz es el rincón barroco del monumento, donde este estilo se muestra más esplendoroso, frente a la mesura renacentista y la sobriedad gótica.

Ahora nos encontramos con la reja mayor que cierra el acceso al crucero y pone una discreta y bellísima penumbra en el ámbito donde se ubican los mausoleos reales y el gran retablo mayor. Esta reja cumple así una eminente función estética en el conjunto.

Vista general de la Reja

Esta es una de las mejores rejas españolas y la primera entre las plateresas. La hizo entre 1518 y 1520 Bartolomé de Jaén en hierro forjado dorado y abundantes policromías. Sobre la tercera pilastra del piso inferior izquierda el autor firmó su obra: MASTRE BARTOLOME ME FECI.

En forma de un gran retablo, la reja está compuesta por tres pisos y ático horizontales y cinco calles verticales. Hay detalles góticos como los barrotes torsos, la cerradura y los doseletes que coronan a los apóstoles, pero pilastras y frisos ofrecen una rica decoración renacentista que en el remate del ático adquiere una impresionante exhuberancia. El ático adquiere una singular riqueza decorativa que cobija escenas de la Pasión y Resurrección de Cristo, coronadas por el Calvario (Cristo crucificado, la Virgen María y San Juan). En los dos extremos el Bautismo de Jesús por Juan Bautista y el martiriro de éste y el de Juan Evangelista.

Reja Mayor. Coronación

El centro del segundo piso lo ocupa el magnífico escudo de los Reyes Católicos al que se añaden el yugo y las flechas, símbolos de su nombres (Y-F) y de la unión de sus reinos.

Escudo de los Reyes Católicos en la Reja Mayor

Las pilastras del segundo y tercer piso sostienen a los doce apóstoles.

Con frecuencia se sitúan los apóstoles en las columnas de los templos, como una representación de la afirmación bíblica de que la Iglesia está edificada sobre el fundamento de los apóstoles.

El Catecismo dice que los templos "significan y manifiestan a la Iglesia que vive en ese lugar". La Capilla es una expresión de la Iglesia granadina. Su edificación fue expresión de la restauración de la comunidad cristiana en esta tierra, comunidad que, muy desarrollada en los tiempos antiguos romanos y visigodos, vivió las dificultades de las comunidades mozárabes hasta su desaparición en el siglo XII. Es también expresión del régimen de patronato bajo el que renació la Iglesia en Granada, muy vinculada a la monarquía española. Hoy la Capilla Real es una institución sólo eclesial que, aunque no tiene la función pastoral de las parroquias, trata de cumplir su misión evangelizadora con el lenguaje del arte, de la historia y de la cultura. Esto sin abandonar el culto cristiano que desarrolla mediante servicios religiosos diarios.

El Crucero

Pasada la reja, se entra en **el crucero**. En el centro están los mausoleos de los Reyes Católicos a la derecha y de Felipe el Hermoso y Juana I a la izquierda. Los dos se hicieron en Italia en mármol de Carrara y son dos magníficas muestras del arte renacentista.

El mausoleo de los Reyes Católicos

El de Fernando e Isabel es obra del italiano Domenico Fancelli hecha en 1517. Se colocó en el centro, bajo un dosel sostenido por cuatro finas columnas. El de Felipe y Juana es obra del español Bartolomé Ordóñez realizada en 1520, y se colocó aquí en 1603, después de desplazar del centro el de Fernando e Isabel y ampliando el dosel con dos nuevas columnas. A pesar de estar hechos con sólo tres años de diferencia, el primero recuerda el renacimiento del cuatrocientos, más equilibrado; el segundo, tiene ya influencia de Miguel Angel y mayor movimiento de las figuras.

La Reina había ordenado en su testamento ser sepultada en una sepultura baja, cubierta sólo por una losa a nivel del

Reina Isabel

Rey Fernando

Mausoleo de los Reyes Católicos

suelo con las letras esculpidas en ella. Fue Don Fernando el que no respetó esta voluntad y encargó para ambos el mausoleo que vemos. En él admiramos la calidad de los retratos de ambos monarcas, así como los cuatro tondos con el Bautismo y la Resurrección de Cristo y las figuras de San Jorge y Santiago. Entre los tondos hay doce hornacinas con los Apóstoles y sobre la cornisa del primer cuerpo los cuatro Padres de la Iglesia Occidental que también encontraremos en el Retablo Mayor: San Jerónimo, San Agustín, San Ambrosio y San Gregorio Magno.

El mausoleo de Don Felipe y Doña Juana

El contrato preveía un mausoleo similar al anterior, pero en éste introdujo Ordóñez como segundo cuerpo el sarcófago que le da mayor altura. En las cuatro esquinas del cuerpo inferior los grifos del mausoleo anterior son aquí dos sátiros y dos satiresas que portan las insignias rales.

Aquí los cuatro tondos representan la Natividad, la Adoración de los Reyes, la Oración en el Huerto y el Descendi-

Mausoleos de los Reyes Felipe y Juana

miento de la Cruz. Las figuras de las doce hornacinas son alegóricas: en la cabecera y los pies, las artes liberales (filosofía, aritmética, gramática y lógica), en los lados mayores las tres virtudes teologales (fe, esperanza y caridad) y las cuatro cardinales (prudencia, justicia, fortaleza y templanza) y otra más que puede ser la paciencia. Sobre las esquinas de este cuerpo Ordóñez situó cuatro admirables obras llenas de dinamismo: San Andrés, San Juan Bautista, San Miguel y San Juan Evangelista.

Sobre el sarcófago superior están las estatuas yacentes de los esposos. Ambos aparecen ricamente vestidos y portando él la espada y ella, el cetro. El rostro de la Reina es una obra perfecta, una bellísima creación de Ordóñez, que murió antes de terminar totalmente el mausoleo en una edad temprana.

Rey Felipe

Doña Juana

En los dos mausoleos, a los pies de los yacentes aparecen el león y la leona. Por una parte, el león es como un símbolo de la realeza; por otra, significa la vigilancia. A los pies de los sepulcros arde siempre un cirio. Responde a la voluntad de la Reina Isabel manifestada en la Real Cédula fundacional de la Capilla para que, junto a las lámparas de aceite habituales, señale la presencia del Santísimo Sacramento. En la actualidad, a las horas de visita turística se retira la Eucaristía a la capilla de la Virgen de la Buena Suerte situada a los pies del templo, pero el cirio permanece encendido.

La cripta

Bajo los mausoleos, el visitante va a encontrar una cripta que impresiona por su sobriedad. Los féretros de plomo de Fernando e Isabel en el centro y de Felipe y Juana en los lados reposan en un ambiente pobre que responde a la austeridad que quiso Isabel para su tumba. El sobrio recinto está presidido por un Crucificado de madera sin policromar de principios del XVI. Las principales voces que nos hablan en este lugar son las que proceden del pequeño féretro del Príncipe Miguel, del recuerdo de la presencia de los restos de la Emperatriz Isabel y, sobre todo, de la personalidad llena de riqueza espiritual de la Reina Isabel.

Reposan aquí los restos del pequeño príncipe Miguel, nieto de los Reyes Católicos y heredero de la corona, muerto con dos años en Granada en 1500. Hijo del rey de Portugal y de Isabel, la hija mayor de los Reyes Católicos, Miguel hubiera heredado España y Portugal y hubiera sido, previsiblemente, lazo de unión entre to-

31

dos los reinos peninsulares. Muerto prematuramente, la línea sucesoria pasó a doña Juana y de ella a Carlos, el Emperador, cuyo reinado nos introdujo totalmente en la política y en las guerras europeas.

También estuvieron aquí, entre otros, los restos de la Emperatriz Isabel, esposa del Emperador Carlos. Serían trasladados a El Escorial por Felipe II. Su llegada a este lugar está unida a la conversión del Duque de Gandía que, al descubrir el cadáver deteriorado de tan bella mujer prometió no servir a señor que se pudiese morir. Entrado en la Compañía de Jesús, fue el tercer Superior General y lo veneramos como santo: san Francisco de Borja. En los funerales de la Emperatriz predicó en la Capilla San Juan de Avila. Pocos años después, San Juan de la Cruz, prior del convento de los Mártires en la Alhambra, debió relacionarse con frecuencia con la Capilla Real a la que estaba encomendada la Ermita de los Mártires que fue cedida a los carmelitas descalzos de Santa Teresa para convento.

Junto al sepulcro de la reina Isabel se nos hace presente su riqueza espiritual. Fue una mujer excepcional como hija, como hermana, como esposa, como madre, como gobernante. Su fuerza era interior, nacía de su fe y de su oración. De ahí sacó fuerzas para superar trances familiares muy dolorosos y para desarrollar con constancia un programa de gobierno que situó a España en los mejores momentos de su historia. Suelen hacerse juicios que condenan algunos aspectos de su reinado. Pero no es lícito juzgarla desde la sensibilidad actual y olvidando los problemas europeos de su siglo. Para ser justos debemos saber que actuó en ello como hija de su tiempo, según las reglas de gobierno de su época, pero ennoblecidas y aplicadas con una visión y una fuerza profundamente cristianas.

Asunción y Coronación de la Virgen

Muro norte

El muro norte del crucero está adornado por el *Descendimiento de la Cruz* de Van der Weyden. Es una buena copia hecha en el siglo XVI del original que se conserva en el Museo del Prado. A ambos lados del Descendimiento, dos tablas más del XVI: el *Descendimiento de Jesús al limbo* y el *Encuentro de Jesús con los discípulos de Emaús*, de Pedro Machuca y de Jacopo Florentino respectivamente. Estas dos tablas renacentistas pertenecieron al conjunto del retablo que, después, se ve en la Sacristía. Sobre este conjunto, una tabla anónima del siglo XVI nos indica con la *Asunción y Coronación de la Virgen* la línea ascensional de la esperanza cristiana en la vida eterna.

Los altares-relicarios

En el crucero hay dos altares barrocos. Son dos altares-relicarios donde se guardan numerosas reliquias que pertenecieron a la Reina Isabel. Estos altares son esencialmente obra de Alonso de Mena que los realizó, asistido por diversos colaboradores, entre 1630 y 1632. Hasta entonces las reliquias se custodiaban en la Sacristía.

Altar-relicario, abierto

Las puertas superiores del altar izquierdo están adornadas por cuatro relieves de la Inmaculada Concepción, San Juan Bautista, San Pedro y San Pablo; sobre las puertas inferiores hay retratos de los Reyes Católicos y de Don Felipe y Doña Juana.

Altar-relicario, cerrado

En el altar derecho las puertas superiores contienen relieves de San Miguel, Santiago, San Felipe y San José; las inferiores muestran los retratos de Carlos V y la emperatriz Isabel y de Felipe IV y su esposa Isabel de Borbón, reinantes cuando Alonso de Mena labró estos altares en 1632. Los altares están coronados por dos grandes lienzos con escudos imperiales de los mismos años.

Altar-Relicario, Retrato de Carlos V y la Emperatriz Isabel

En el interior de ambos altares-relicarios se guardan varios centenares de reliquias. Sobresalen el *Lignum crucis,* el *Brazo de Juan Bautista...*

La intensa devoción por las reliquias fue una característica de la piedad cristiana de siglos pasados. También la Reina Isabel veneró estas reliquias recibidas, en su mayor parte, por herencia de los reyes y reinas medievales. Todavía hoy, *"de acuerdo con la tradición, la Iglesia rinde culto a los santos y venera sus imágenes y sus reliquias auténticas"* (Concilio Vaticano II).

Lignum Crucis

Detrás de los altares-relicarios están las recogidas capillas de San Miguel y Santa Apolonia. Estos dos santos coronan dos sencillos retablos barrocos que enmarcan óleos de *San José* de Melchor de Guevara y *San Juan Bautista* de José de Cieza. Junto a estos lienzos, hay en las capillas otras pinturas de escuela granadina, todas ellas del período barroco, que suelen ser donación de diversos capellanes reales.

Frente a los altares-relicarios, sobre dos bellas puertas rena-centistas, se sitúan dos lienzos barrocos de escuela granadi-na: una *Anunciación*, llena de delicadeza, de Jerónimo de la Cárcel, y una curiosa representación de la *Trinidad*, obra probable de Pedro Atanasio Bocanegra, en que las tres Di-vinas Personas aparecen en naturaleza humana y revestidos con ornamentos pontificales y tiara pontificia.

Con toda propiedad el Hijo se representa co-mo hombre, porque se encarnó y asumió la condición humana. Aquí porta la Cruz y muestra los ornamentos y tiara que llevan el Padre y el Espíritu Santo como simbolo de su grandeza divina y de las que El se ha des-pojado al hacerse hombre. El Padre es fre-cuentemente representado como un ancia-no: aquí lleva el mundo y cetro en sus ma-nos. No es frecuente representar al Espíritu Santo con figura humana y aquí aparece así. Esta es la novedad de esta obra: aparece en figura humana similar al Padre, pero indivi-dualizado con la paloma habitual que suele representarlo, siguiendo el simbolismo que usa la Biblia en diversas ocasiones. La repre-sentación de la Trinidad en imágenes ha sido a veces rechazada por temor a que sea oca-sión de error cayendo en una idea triteísta del Dios Unico.

Nos dirigimos ahora al **retablo mayor** (1520-1522) que corona un presbiterio ochavado y elevado sobre diez gradas para ser visible desde el coro alto situado en el fondo de la Capilla. Hay que observar los pasamanos y antepechos de mármol blanco, enriquecidos con una decoración típica del primer renacimiento. Son obra de Francisco Florentino.

Este retablo es obra de Felipe Vigarny, pero intervinieron también otros autores, como Jacobo Florentino y, quizá, Alonso Berruguete.

Retablo Mayor

Cuando por voluntad del Emperador Carlos se quiso enriquecer la austera capilla gótica, se hizo en el nuevo estilo, el renacentista. Para ello se incorporaron los italianos Jacopo (El Indaco) y Francisco Florentino que pintaron diversas tablas, labraron la puerta de la sacristía, las columnas del mausoleo, el pasamanos y antepecho del presbiterio, el retablo de la Pasión.. Felipe Vigarny, de origen francés, trabajaba en Castilla en gótico. Aquí hizo el retablo mayor adaptándose al nuevo estilo, con la ayuda de los hermanos florentinos. Estos autores hicieron otros trabajos en distintos templos de Granada y con su presencia nació la tradición artística granadina.

Dirigimos ahora nuestra atención al gran retablo. Bajo un frontón superior y de tres arcos que le siguen, las tres calles centrales de los dos pisos contienen seis grandes grupos escultóricos en tamaño natural: el resto de retablo acoge numerosas esculturas de menor tamaño.

En el centro del retablo está la Cruz. Encima de *Cristo en la Cruz* aparecen el *Padre* y el *Espíritu Santo* bajo el símbo-

Retablo Mayor.
El Padre Eterno.

LA ICONOGRAFÍA DEL RETABLO MAYOR

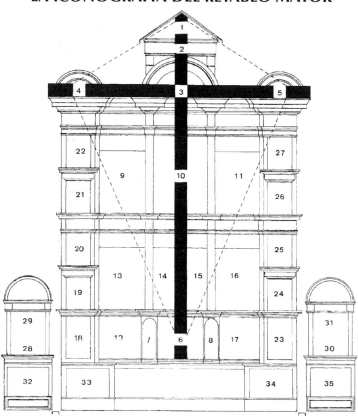

1. Dios Padre. 2. Espíritu Santo. 3. Jesucristo crucificado (detalle). 4. Encarnación. Virgen arrodillada. 5. Encarnación. Arcángel Gabriel. 6. Adoración de los Magos. La Virgen con el Niño Jesús adorado por Melchor. 7. Adoración de los Magos. Gaspar. 8. Adoración de los Magos. Baltasar. 9. Jesucristo con la cruz a cuestas. 10. Calvario. Jesucristo crucificado entre la Virgen y san Juan. 11. La Piedad o Quinta Angustia. 12. Bautismo de Jesús por san Juan Bautista. 13. Martirio de San Juan Bautista. 14. San Juan Bautista junto al cordero. 15. San Juan Evangelista con un cáliz. 16. Martirio de San Juan Evangelista. 17. Destierro del Evangelista Juan en la isla de Patmos. 18. San Pedro apóstol. 19. Evangelistas. San Juan. 20. Evangelistas. San Lucas. 21. Santos Padres. San Gregorio. 22. Santos Padres. San Jerónimo 23. San Pablo apóstol. 24. Evangelistas. San Mateo. 25. Evangelistas. San Marcos. 26. Santos Padres. San Ambrosio. 27. Santos Padres. San Agustín. 28 El rey Fernando el Católico. 29. San Jorge. 30. La reina Isabel la Católica. 31. Santiago. 32. Los Reyes Católicos entran en Granada. 33. El rey Boabdil entrega las llaves de la ciudad de Granada. 34. Bautismo de moriscos. 35. Bautismos de moriscas.[1]

[1] Esquema de Francisco Javier Martínez Medina en *El Libro de la Capilla Real* (Granada, 1994) Pg. 100

lo de la paloma: el misterio de la Trinidad, verdad central de la fe cristiana. En otros dos frontones pequeños superiores la *Virgen María* y *San Gabriel* recuerdan el otro gran misterio cristiano: la Encarnación del Hijo de Dios. En la vertical, pues, el misterio de las Tres Personas Divinas; en la línea horizontal, el misterio de la Encarnación: Dios hecho hombre en el seno de María, en la silenciosa cumbre de la historia humana.

A los lados de la Cruz se representan dos escenas de la pasión: *Jesús con la Cruz a cuestas* es ayudado a llevar la Cruz y *La Piedad*: María acoge el cuerpo muerto de su Hijo ante la mirada dolorida de Juan, Magdalena, Nicodemo y José de Arimatea. El Crucificado y las dos escenas que lo acompañan forman una bella síntesis de la pasión y muerte de Cristo, expresión de la Redención humana. Trinidad, Encarnación y Redención son la síntesis de la fe cristiana, expresadas magistralmente en la parte alta del retablo. En el piso inferior están los dos *Santos Juanes* y *sus martirios*.

Martirio de San Juan Bautista

Martirio de San Juan Evangelista

42

Esta Capilla está dedicada a los santos Juan Bautista y Juan Evangelista por decisión de los monarcas fundadores. Esto sucedió en primer lugar por motivos de devoción a estos dos santos tan cercanos a Jesucristo. También se habla de otra razón. La presencia central de los dos Juanes en el retablo sugiere el recuerdo de los padres de Fernando e Isabel que eran, respectivamente, Juan II de Aragón y Juan II de Castilla. Representarlos juntos puede ser una representación de la unión de ambos reinos.

El banco está centrado en la *Virgen y el Niño adorado por los Magos*. El rey de la izquierda (Gaspar) es un retrato de Carlos V joven. Esta adoración está flanqueada por dos conjuntos referidos a los dos Santos Juanes: *el Bautista bautiza a Cristo* en el Jordán y *el Evangelista* recibe su inspiración en la isla de Patmos.

La Virgen con el Niño

Los dos pisos y el banco se cierran lateralmente por diez encasamentos que albergan diez obras de gran calidad: cuatro *Padres de la Iglesia* (San Jerónimo, San Gregorio, San Agustín y San Ambrosio); los cuatro *Evangelistas* (San Lucas, San

Juan, San Marcos y San Mateo) y los dos grandes Apóstoles *San Pedro* y *San Pablo*.

Lo que resta del retablo, laterales del banco y sotabanco, está dedicado al recuerdo histórico de los monarcas fundadores que aparecen en actitud orante, protegidos por los santos protectores de Aragón y de Castilla: *Santiago* acompaña a Isabel y *San Jorge* a Fernando. Las dos *estatuas orantes* son obra de Diego de Siloé (XVI) y sustituyeron a otras de Vigarny que encontraremos después en la Sacristía.

San Juan Evangelista

Reina Orante

En el sotabanco hay *cuatro relieves* de valor: la entrega de Granada por su rey Boabdil a los Reyes Católicos en 1492 y escenas de bautismos de hombres y mujeres musulmanas en 1500. La cercanía temporal entre la ejecución de estos relieves y el hecho que representan les confiere un gran valor historiográfico.

Entrada en Granada

El Sagrario es obra moderna del escultor granadino Domingo Sánchez Mesa, hecha en 1955.

Después de este repaso a todas y cada una de las esculturas del retablo conviene reparar en la arquitectura del mismo y en la bella ornamentación plateresca que le da una riqueza y esplendor que llamaron la atención ya desde sus primeros años. El conjunto es uno de los primeros y más bellos retablos renacentistas.

Finalmente, en el lado sur del crucero una magnífica portada gótica lleva a la Sacristía. Sobre la puerta, una bella *Anunciación* de Jacobo Florentino, el Indaco, crea un bello conjunto que armoniza lo gótico y lo renacentista. El mismo autor trazó las puertas renacentistas que están flanqueadas por una pintura anónima de *San Francisco de Asís* y una *Virgen con el Niño dormido*, obra de Alonso Cano (XVII).

Alonso Cano. Virgen con el Niño dormido

La Sacristía-Museo

La Real Cédula de creación de la Capilla ordena que junto a ella se edifique una "buena sacristía" que, además de las funciones habituales, sirva para conservar las pinturas y recuerdos personales que los Monarcas legaron a la Capilla. Esa Real Cédula firmada por Fernando e Isabel y otra de 1528 firmada por el Emperador Carlos se encuentran en una vitrina situada en la primera sala en que se divide la sacristía-museo.

La Real Cédula de creación de la Capilla está firmada en Medina del Campo (Valladolid) el 13 de septiembre de 1504. El 12 de octubre hizo Isabel testamento, el 23 de noviembre firmó el codicilo a su testamento y tres días después, el 26 de noviembre murió. En 1506 comenzaron las obras de construcción de la Capilla que se terminaron en 1517, un año después de la muerte de Fernando ocurrida en Madrigalejo (Cáceres) el 23 de enero de 1516.

Los tejidos

Dentro de esta primera sala hay una pequeña colección de tejidos de gran interés: un tapiz de la Crucifixión, banderas y guiones del ejército castellano, un terno negro que llegó a la Capilla con los restos de la emperatriz Isabel en 1539 y una impresionante casulla perte-

Bandera del ejército castellano

neciente al terno llamado "chapado" o del Rey Católico. Esta casulla, recientemente restaurada, es una obra de gran calidad, rica muestra de los bordados del XVI.

Otro conjunto son las obras de orfebrería. En distintos sitios de esta sala encontramos obras de especial relación con los Monarcas fundadores. En el centro de la sala están el cetro y la corona de Doña Isabel y la espada de Don Fernando. En otro ámbito está el riquísimo cofre-relicario de la Reina, cerca de la vitrina que contiene dos conjuntos de obras litúrgicas (una cruz de altar, cáliz y portapaz góticos y un cáliz y portapaz renacentistas). Toda esta orfebrería es de plata dorada.

Cetro de la Reina Isabel la Católica

El altar donde se celebra la Eucaristía debe estar presidido por la Cruz. El cáliz es el vaso sagrado en forma de copa donde se consagra el vino en la misma celebración. El portapaz es una pieza litúrgica que ha perdido actualidad en la liturgia católica. Antes de la reforma litúrgica ordenada por el Concilio Vaticano II en 1963 el subdiácono daba a besar el portapaz a los fieles en las celebraciones solemnes durante el rito de la paz de la Misa. Hoy el sacerdote o el diácono invita a los fieles a darse mutuamente la paz y todos se intercambian este signo de fraternidad de diversas formas según las costumbres del lugar.

Corona de la Reina Isabel la Católica

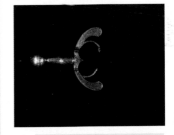

Espada del Rey Fernando el Católico (Detalle)

En esta misma vitrina se observan diversos objetos personales y de devoción de la Reina Isabel, entre ellos, un cordón franciscano, un rosario y pequeños relicarios.

El conjunto de orfebrería se completa con el espejo de la Reina: usado durante siglos como custodia para la exposición de la Eucaristía, a final del siglo XIX se descubrió que en origen había sido un espejo. Es una bella obra italiana. También es-

Miniatura del Misal de la Reina Isabel

tá en esta sala el misal de la Reina, escrito en vitela con magníficas miniaturas. Es obra de Francisco Flores en 1496. La talla en madera policromada de *Santa Catalina* es del siglo XV y pertenece al legado fundacional de la Capilla.

Santa Catalina de Alejandría es una virgen mártir que murió en la última gran persecución romana en los comienzos del siglo IV. Muerta por orden de Majencio, se representa, sin embargo, como triunfadora del mismo, representado por la cabeza coronada que está a los pies de la Santa. La rueda dentada y la espada son los instrumentos de su martirio y el libro que sostiene en su mano simboliza su sabiduría que manifestó en disputa con los filósofos paganos. Es patrona de la Filosofía.

La devoción de la Reina Isabel a Santa Catalina tiene raíces familiares. Isabel era nieta de Catalina de Lancaster, esposa de Enrique III. Tuvo una tía Catalina, hermana de su padre y, también fue Catalina la última de sus hijas, que casó con Arturo de Inglaterra y después, para su desgracia, con Enrique VIII.

Santa Catalina de Alejandría

Las pinturas de devoción de la Reina Isabel

En una segunda sala, la Sacristía guarda la preciosa colección de pintura sobre tabla que perteneció a la Reina. Todas las tablas son religiosas y fueron objeto de devoción cristiana para la Reina Isabel. Nos hablan, pues, de su elevada sensibilidad artística y de su piedad religiosa, centrada, sobre todo, en los misterios de la Natividad de Cristo, en su Pasión y Muerte y en la Virgen María.

Hay obras italianas (Botticelli y Perugino) y españolas (Pedro Berruguete y Bartolomé Bermejo), todas ellas del siglo XV. Pero sobresale la colección de tablas de primitivos flamencos. Van der Weyden, Memling, Bouts y otros autores conocidos o anónimos enriquecen esta espléndida colección.

Oración en el Huerto.
Botticelli (s.xv)

Invitamos al visitante a recrearse en la perfección de estas obras. Es necesario contemplar cada una de las tablas y ad-

mirar la calidad de los colores y de los tejidos y la perfección y detallismo de la perspectiva; hay que descubrir la veracidad de los personajes y tratar de sentir los sentimientos de dolor o de serena alegría interior que, nacidos del alma, se vuelcan en los rostros.

Las Santas Mujeres.
Memling (s.xv)

Natividad.
Rogier van der Weyden (s. xv)

Virgen con el Niño.
Dieric Bouts (s. xv)

El retablo de la Pasión

El conjunto de la Sacristía está presidido por el retablo de la Pasión. Hizo este retablo en 1521 Jacobo Florentino para situarlo en la capilla de la Santa Cruz donde estuvo hasta el siglo XVIII. Contiene el tríptico de Dieric Bouts, que puede ser la obra pictórica más importante de Granada. Representa la *Crucifixión*, *Descendimiento de la Cruz* y *Resurrección del Señor*. Completan el retablo otras tablas renacentistas con asuntos de la Pasión de Jesucristo: *Pentecostés* y la *Ultima Cena* son del mismo Florentino y la *Oración en el Huerto* y *Prendimiento de Jesús* son de Pedro Machuca.

Junto al retablo están situadas las *estatuas orantes* de Don Fernando y Doña Isabel, obra de Felipe Vigarny, que fueron retiradas del Retablo Mayor, según se dijo.

Los exteriores de la Capilla

La visita a la Capilla debe dedicar unos minutos a la visión del monumento en su exterior. Allí atraen la atención las hermosas cresterías que repiten la F y la Y de Fernando e Isabel y los esbeltos pináculos góticos.

Hay que fijar la atención también en la fachada de la Lonja, con sus dos galerías superpuestas, la de abajo con arcos de medio punto y la de arriba con arcos escarzanos. Sobre los arcos de lo que fue Lonja se repite el escudo de la Ciudad de Granada. En los pretiles de la parte superior aparecen las divisas de los Reyes Católicos y del Emperador Carlos V.

Las portadas de la Capilla y de la Lonja, renacentistas, son bellas en su sencillez. Dentro de la adjunta Catedral, está la primera y principal puerta de la Capilla Real que, al construir el templo catedralicio, quedó dentro de éste. Es una magnífica muestra del gótico de la época.

Puerta gótica de la Capilla al interior de la Catedral

****

La Capilla Real de Granada acerca a sus visitantes a un momento clave de la Historia de España, de su arte y de su religiosidad. Actualmente es una cara importante de la Iglesia y Ciudad de Granada que, cuidada y atendida con el mayor esmero, se muestra a los que se acercan a ella como una joya preciosa enriquecida con muchos valores. Permanece,sobre todo, como un fiel reflejo de la fe de sus Fundadores y de su amor a Granada.

APENDICES

CUADRO DINASTICO

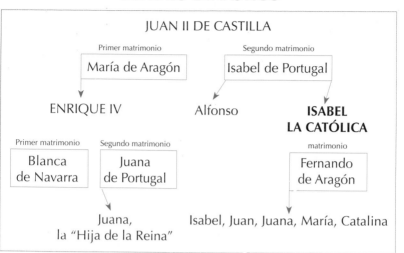

JUAN II DE CASTILLA

Primer matrimonio
María de Aragón

Segundo matrimonio
Isabel de Portugal

ENRIQUE IV · Alfonso · **ISABEL LA CATÓLICA**

Primer matrimonio
Blanca de Navarra

Segundo matrimonio
Juana de Portugal

matrimonio
Fernando de Aragón

Juana, la "Hija de la Reina"

Isabel, Juan, Juana, María, Catalina

JUAN II DE ARAGÓN

Primer matrimonio
Blanca de Navarra

Segundo matrimonio
Juana Enríquez

Carlos, Blanca, Leonor

FERNANDO EL CATÓLICO

FERNANDO DE ARAGON · ISABEL DE CASTILLA

Isabel	Juan	**Juana**	María	Catalina
Alfonso y Manuel de Portugal	Margarita de Austria	**Felipe de Austria**	Manuel de Portugal	Arturo y Enrique de Inglaterra

Príncipe Miguel

CARLOS I

FECHAS Y DATOS

Se ofrece a continuación una relación de fechas y datos sobre los Reyes cuyos restos están o estuvieron en la Capilla, y sobre la evolución de ésta hasta el siglo XVIII, especialmente en lo referente a su construcción y decoración.

1437
Boda del futuro Enrique IV de Castilla con Blanca de Navarra.
1447
Segundo matrimonio de Juan II de Castilla con Isabel de Portugal
1451
Nace el 22 de abril la infanta doña Isabel en Madrigal
1452
Nace don Fernando en Sos el 10 de marzo
1454
Muere Juan II de Castilla: comienza el reinado de Enrique IV
1455
Segundo matrimonio de Enrique IV con doña Juana de Portugal
1462
Nace la infanta Juana, "la hija de la reina".
1465
Farsa de Avila: Enrique IV es depuesto y proclamado rey su hermanastro don Alfonso.
1468
Muere el infante don Alfonso. Sus partidarios miran hacia su hermana Isabel como heredera. Pacto de los Toros de Guisando: Enrique IV reconoce a su hermana Isabel como sucesora.
1469
Matrimonio de Isabel de Castilla con Fernando de Aragón
1470
Nace en Dueñas Isabel, hija mayor de los Reyes Católicos
1474
Muere Enrique IV: comienza el reinado de Isabel en Castilla
1476
Triunfo del ejército de Isabel y Fernando frente a los partidarios de Juana en Toro.
1478
Nace en Sevilla Juan, único hijo varón de los Reyes Católicos

1479

Paz con Portugal: triunfo de Isabel. Fernando, rey de Aragón. Nace en Toledo Juana, tercera de los hijos de los Reyes Católicos

1482

Comienza la guerra de Granada. Nace en Córdoba María, cuarta hija de los Reyes Católicos

1485

Nace en Alcalá de Henares Catalina, última hija de los Reyes Católicos

1492

Capitulación de Granada, expulsión de los judíos, descubrimiento de América

1496

Alejandro VI da a los reyes Isabel y Fernando el título de "Católicos"

Boda la princesa Juana con Felipe el Hermoso

1497

Muere en Salamanca el Príncipe Juan, heredero de los Reyes Católicos

1498

Muere Isabel de Portugal, hija mayor de los Reyes Católicos

1500

Muere en Granada el príncipe Miguel, heredero de Portugal, Castilla y Aragón.

Nace Carlos, hijo de Juana y Felipe.

1504

Muere la reina Isabel. Primera regencia de Fernando en Castilla

1506

Regencia y muerte de Felipe el Hermoso. Contrato para la construcción de la Capilla Real.

1507

Segunda regencia de Fernando en Castilla

1514

Don Fernando encarga el mausoleo para él y su esposa.

1516

Muere el rey Fernando. Regencia de Cisneros.

1517

Termina la construcción de la Capilla. Llega a Granada el mausoleo de los Reyes

1518
Se decide la construcción de la Lonja. Recurso contrario de la Capilla.
1519
Se coloca la reja mayor. Se contrata el retablo mayor.
1520
Muere Ordóñez en Carrara con el mausoleo de Felipe y Juana prácticamente terminado
1521
Son bajados de San Francisco de la Alhambra a la Capilla los restos de los Reyes Católicos y del Príncipe Miguel
1525
Se trasladan a la Capilla los restos de Felipe el Hermoso
1526
Carlos V en Granada: Junta de la Capilla Real sobre los moriscos
1539
Muere la Emperatriz Isabel y llegan sus restos a la Capilla. Llega a Granada el mausoleo de don Felipe y doña Juana
1549
Son trasladados a la Capilla los restos de la princesa María (primera esposa de Felipe II) y de los infantes Juan y Fernando, hijos del Emperador.
1555
Muere doña Juana
1574
Llegan los restos de doña Juana a la Capilla
Se trasladan a El Escorial los restos de la Emperatriz, de la princesa María y de los infantes Juan y Fernando
1591
La librería de la Capilla, legado de los Reyes, se traslada a El Escorial y a Simancas.
1603
Se coloca el mausoleo de Felipe y Juana.
1632
Se hacen los altares-relicarios
1753
Se instala el nuevo retablo barroco de la Santa Cruz

BIBLIOGRAFÍA

AA.VV. con la coordinación de PITA ANDRADE, José Manuel: *El Libro de la Capilla Real*. Granada, 1994.

GALLEGO Y BURIN, Antonio: *La Capilla Real de Granada. Estudio histórico y guía descriptiva de este templo*. Granada, 1931. Edición facsímil, Granada, Comares, 1992.

GALLEGO Y BURIN, Antonio: *Guía de Granada*. Granada, 1993 (novena edición).

GOMEZ-MORENO GONZALEZ, Manuel: *Guía de Granada*. Granada, 1892 (reimpresa en 1982 y 1994).

INSTITUTO ANDALUZ DE PATRIMONIO HISTORICO, *Un proyecto para la Capilla Real de Granada*, Granada, 1992.

LEON COLOMA, Miguel Angel: *La lonja de Granada*. Granada, 1990.

LOPEZ RODRÍGUEZ, Miguel A.: *El Real Colegio Seminario de San Fernando de la Capilla Real de Granada*. Granada, 1997.

MARTINEZ MEDINA, Javier: *El Retablo Mayor de la Capilla Real. La unidad religioso-política del moderno Estado español*. Facultad de Teología de Granada, 1988.

OROZCO DIAZ, Emilio: «La Capilla Real de Granada». *Forma y color*, Granada, 1967.

PARDO NAVARRO, Tomás J.: *Capilla Real de Granada. Recorrido didáctico*. Granada, 1999.

PITA ANDRADE, José Manuel: *La Capilla Real de Granada*. Obra cultural de la Caja de Ahorros de Granada, 1972.

PITA ANDRADE, José Manuel, con la colaboración de ALVAREZ LOPERA, José: *La Capilla Real y la Catedral de Granada,* León, Everest, 1978.

SCHOUTE, Roger van: *Les primitifs flamands. La Chapelle Royale de Grenade.* Bruxelles, 1963.

LA CAPILLA EN INTERNET

www.capillarealgranada.com

ÍNDICE

PUBLICACIONES DE LA CAPILLA REAL

El Libro de la Capilla Real. AA.VV. y coordinación de Don José Manuel Pita Andrade. Granada, 1994.

El Real Colegio Seminario de San Fernando de la Capilla Real de Granada. Miguel A. López Rodríguez. Granada, 1997.

Capilla Real de Granada. Recorrido didáctico. Tomás J. Pardo Navarro. Granada, 1999.

Isabel la Católica: una vida y un reinado en el fiel de la balanza. Vidal González Sánchez. (Conferencia pronunciada en la Capilla el 26.11.2002) Granada, 2002.

Testamento de Isabel la católica. Testamento de Fernando el Católico. Edición preparada por Manuel Reyes Ruiz. Granada, 2004.

Las tablas de devoción de la Reina Isabel la Católica. Manuel Reyes Ruiz. Granada, 2004.

La Iglesia de Granada en el siglo XVI. José García Oro. Granada, 2004.

La Capilla Real de Granada: lonja, templo y museo. Guía para la visita. Manuel Reyes Ruiz. Granada, 2004.